Didier Maranski

Sur les traces des Gaulois

D1530276

LES ESSENTIELS MILAN JUNIOR

LA GAULE INDÉPENDANTE
édition de 52 av. J.-C.

— SCOOP —
Une interview exclusive de Mémorix,
druide gaulois, mémoire vivante de son peuple.

Les étrangers nous ont donné plusieurs noms. Qu'en pensez-vous ?

Le seul nom qui est faux, c'est Barbares.
Mais si les Grecs nous appellent Celtes
et les Romains, Gaulois, c'est bien.
Nous, nous savons à quel peuple nous appartenons :
on est arvernes, helvètes ou éduens... ∎

Que signifie la date 500 av. J.-C. pour vous ?

Cette date est très importante. Il existait
à cette époque des princes, très riches,
qui vivaient dans des résidences et qui régnaient
sur de grands territoires. Ils devaient leur richesse
au commerce. Et puis, plus de princes : on ne sait
pas vraiment pourquoi ! Après, une société
d'agriculteurs s'est mise en place avec de grands
propriétaires terriens. ∎

Les Gaulois sont-ils restés un peuple d'agriculteurs ?

Longtemps, oui. Mais, au IIe siècle av. J.-C.,
on se met aussi à vivre dans des villes entourées
de remparts : les oppida. Ces villes sont riches
et regroupent beaucoup de monde. Bien sûr,
il y a encore à cette époque des paysans :
il faut bien nourrir les hommes et les bêtes... ∎

Nous, les Gaulois, nous sommes souvent en guerre ?

Oui, nous nous sommes beaucoup battus entre nous. Chaque peuple défend son territoire.

Les Gaulois en vue de Rome, par Évariste Luminais (tableau du XIXᵉ siècle).

Certains Gaulois sont allés conquérir l'Italie et même la Grèce. Mais nous nous sommes fait battre. Maintenant, nous devons faire face à Jules César et à ses armées romaines. C'est pourquoi nous nous sommes réunis autour de Vercingétorix. Nous avons gagné des batailles, mais, actuellement, César entoure Alésia, où nos troupes se sont réfugiées. ■

Et si les Romains gagnaient ?

Notre société organisée serait bouleversée. Cela fait plus d'un siècle que nous faisons du commerce avec l'Italie. Ils ont besoin de nous et nous aimons ce qu'ils fabriquent : le vin, par exemple. Nous souhaitons

conserver nos druides, nos dieux et nos chefs. Nous ne voulons pas abandonner nos traditions. Mais, avant tout, nous souhaitons rester libres ! ■

Astérix et les autres

Il y a environ cent ans, on a commencé à représenter les Gaulois. On en voit dans les livres d'école, sur des peintures ou des gravures et, aujourd'hui encore, dans les BD d'Astérix. Il faut faire le tri des bonnes informations et des moins bonnes...

Les bons côtés d'Astérix

Plein d'infos sont bonnes dans cette BD : Toutatis est bien le dieu de la guerre, les Gaulois criaient lors des attaques contre les Romains et les pirates existaient déjà...

Par Toutatis !

Tout le monde connaît les aventures d'Astérix et d'Obélix, leur village, leur druide et leur résistance contre les Romains. On peut faire confiance à ce que l'on voit sur les images, à quelques exceptions près. Par exemple, Obélix n'a jamais porté de menhirs : pas à cause du poids, mais parce que ces grosses pierres ont été dressées bien avant les Gaulois.

Les druides, ces hommes qui grimpent...

La cueillette du gui par les druides.

Ils sont toujours représentés sur un arbre, un chêne, accrochés à une branche et coupant le gui avec une serpe d'or. Pline l'Ancien raconte la cueillette du gui, plante magique, car elle guérit mais empoisonne aussi. Or jamais les archéologues n'ont retrouvé de serpe d'or... On pense qu'il s'agissait de serpes en bronze qui étaient polies pour briller et ressembler à de l'or.

Ce n'est pas mon arme !

Les peintures, sculptures et gravures ont parfois représenté des Gaulois en armes. Mais souvent les artistes mélangent les différentes périodes. Les casques et les cuirasses datent de l'âge du Bronze final (entre 1000 et 700 av. J.-C.), les épées du premier âge du Fer (aux environs de 700-675 av. J.-C). Et l'habit est parfois plus romain que gaulois.

Représentation d'un cavalier gaulois.

Ces Barbares !

Diodore de Sicile écrit, au Ier siècle av. J.-C. : « *Ils lessivent leurs cheveux pour les rendre encore plus clairs et les coiffent d'avant en arrière [...]. Rien à dire sur la barbe [...]. Les nobles portent des moustaches qui tombent de part et d'autre de la bouche.* » Une sculpture grecque du IIe siècle av. J.-C., copiée par les Romains, représente un Gaulois mourant. Ses cheveux sont bien coiffés en arrière et il porte des moustaches, mais courtes. La sculpture est certainement plus proche de la réalité que le texte.

On s'est trompé de visage ?

Un Vercingétorix en bronze a été installé à Alise-Sainte-Reine, près du lieu où a eu lieu le siège d'Alésia. Il est grand, il est beau. Mais il a le visage de... Napoléon III, qui a commandé et fait installer cette sculpture.

Fiers d'être gaulois !

Les Français sont fiers d'être des Gaulois ! On le voit par exemple sur les gravures qui montrent la reddition de Vercingétorix. Notre héros national, pourtant vaincu, reste la tête haute. César, le vainqueur, est souvent assis et on le voit à peine : c'est le méchant vainqueur !

Ils en ont parlé...

Les Romains et les Grecs se sont battus contre les Gaulois. Ils nous ont laissé un portrait de ces gens qui leur paraissaient barbares...

Un drôle de pays vu par Jules César

La Gaule ce n'est ni l'Italie ni la Grèce ! « *Le temps est si mauvais que l'on ne peut pas y travailler.* » « *Les pluies sont continuelles* » en hiver, dans le nord du pays. Les soldats de César, pour conquérir la Gaule, doivent supporter « *le plein hiver, par des chemins difficiles, des froids intolérables* ». Les Cévennes sont « *couvertes d'une neige épaisse […], il faut déblayer la neige sur une profondeur de 6 pieds* ». César parle aussi des forêts impénétrables, des marais et des terribles tempêtes « *dans le vaste, l'immense océan* ».

Ils ne sont pas comme nous...

Diodore de Sicile explique que les Gaulois « *se rasent la barbe, d'autres la laissent croître un peu, les nobles […] portent les moustaches longues et pendantes* ». Les Gaulois « *portent des vêtements étonnants […], des tuniques de diverses couleurs, des pantalons [des braies], des manteaux faits d'une étoffe divisée en petits carreaux multicolores* ».

Dégoûtant...

« *Lorsqu'ils mangent, leur moustache est pleine d'aliments, et, quand ils boivent, la boisson y passe comme à travers un filtre.* » (Diodore de Sicile)

... et ils ont des habitudes bizarres

Ils mangent de la viande « *assis sur une couche de paille* » et, dès que les femmes ont accouché, « *elles servent leur mari, qui a pris place dans le lit* », écrit Strabon. Ils n'aiment pas l'huile, « *elle leur paraît désagré-*

Reconstitution d'un intérieur gaulois.

able », ce qui étonne Athénée. César est surpris qu'« *ils arrêtent les voyageurs, même contre leur gré, pour les interroger sur ce qu'ils savent ou ont entendu dire [...]. Les druides pensent que l'enseignement ne doit pas être écrit...* » Comme c'est bizarre !

Une religion surprenante

Ce n'est pas le nombre de dieux et de déesses des Gaulois qui est original, car tout le monde à cette époque-là, en Europe, est polythéiste. On ne s'étonne pas non plus des enterrements « *magnifiques* » et somptueux (César). Ce qui est curieux, c'est que les druides « *croient qu'après la mort l'âme passe dans d'autres corps* ».

Chez le coiffeur

« *Leurs cheveux sont naturellement blonds... mais, pour renforcer la couleur, ils les lavent sans cesse avec du lait de chaux. Ils les relèvent sur le dessus de la tête comme une crinière de cheval.* » (Diodore de Sicile)

Des témoins... pas très sûrs

Les écrivains de l'Antiquité qui ont parlé des Gaulois, comme Diodore de Sicile ou Strabon, ont vécu à l'époque de Jules César (v. 101-44 av. J.-C.) ou après, tels Pline l'Ancien, Lucain ou Athénée encore plus tard. Seul Jules César a vraiment parcouru la Gaule et observé de près ses ennemis, pour mieux les vaincre. Pourtant, il ne raconte pas toujours la vérité !

La mémoire du sol

Les textes anciens et les images ne suffisent pas. Pour en savoir plus, il faut le travail de l'archéologue. La lecture du sol nous permet de comprendre comment vivaient et mouraient les Gaulois.

Tombe d'un chef gaulois enterré avec son char et son cocher.

Des tombes par milliers...

On a découvert, en Champagne, des milliers de tombes regroupées en cimetières. Celles des femmes contenaient des fibules, des torques, des bracelets. Celles des hommes, des armes. Nous avons ainsi beaucoup appris sur les Gaulois. Mais ces tombes et ces objets ne sont pas suffisants pour tout connaître.

Sous la ville oubliée

Il y a plus de cent ans, dans toute l'Europe, on a commencé à fouiller les villes celtes. Presque partout, on a retrouvé les mêmes remparts, les mêmes quartiers, les mêmes sanctuaires... Depuis les années 1980, des équipes d'archéologues travaillent à Bibracte, l'*oppidum* des Éduens (un des peuples gaulois). Les connaissances sur les Gaulois sont de plus en plus nombreuses et précises.

La Gaule vue du ciel

Si l'on est archéologue et spécialiste de la photo aérienne, on peut reconnaître depuis un avion les traces de la vie des hommes, souvent

Sherlock Holmes chez les Gaulois

Dans la terre, il reste du métal, des os, de la céramique... Mais les tissus, le cuir, le bois ou l'osier disparaissent souvent. Plus de la moitié des vestiges disparaissent en pourrissant dans le sol. L'archéologue doit donc être très prudent pour ne rien oublier dans la terre.

Vue aérienne d'Alésia. Les formes de l'ancien *oppidum* sont encore visibles.

Dites-le avec des fleurs

Dans la terre, il y a ce qui se voit à l'œil nu et ce qu'il faut chercher au microscope. La palynologie est l'étude des pollens conservés dans le sol. C'est bien pour savoir quels arbres et quelles fleurs poussaient à l'époque gauloise. Beaucoup de pollen sous le crâne d'un mort ? C'est qu'il reposait sur un coussin de fleurs.

invisibles quand on est au niveau du sol. Les ombres du soir, les différences de végétation font apparaître un fossé, un bâtiment carré, une route… depuis longtemps disparus. Cette technique est particulièrement intéressante pour les périodes anciennes.

Expériences

On peut essayer de refaire les gestes des Gaulois, pour savoir si l'on a tout bien compris. À partir des découvertes archéologiques, on peut construire une maison ou un rempart « à la gauloise ». On peut aussi fabriquer des armes, des pots ou des tissus. Si la maison s'écroule, si le pot en terre ressort tout mou du four, c'est qu'il manque encore des informations. Alors il faut continuer à chercher.

Travail de groupe

Pour mieux connaître les Gaulois, il faut que beaucoup de gens acceptent de travailler ensemble : les archéologues, les palynologues, ceux qui étudient les os ou les façons de vivre (les anthropologues ou les ethnologues), sans oublier les historiens.

Qui commande ?

Pour chaque peuple gaulois, quelques familles seulement ont le pouvoir politique et religieux. Pour devenir encore plus puissantes, elles organisent des mariages entre elles.

Reproduction du denier d'argent représentant le chef éduen Dumnorix.

Dumnorix, chef éduen

Sur cette monnaie en argent, on voit d'un côté le visage de Dumnorix, avec ses cheveux bouclés.
De l'autre côté, il est représenté en guerrier, avec son épée. Il tient une tête coupée (symbole de sa puissance) dans une main, un sanglier (enseigne militaire) et une trompette (réputée pour glacer de terreur l'ennemi) dans l'autre main.

Les aristocrates

Les familles aristocratiques détiennent le pouvoir et se le partagent. Dans chaque territoire gaulois, elles lèvent les impôts, font la guerre et dirigent aussi la politique.
Les aristocrates sont représentés au sein d'une assemblée : le Sénat. Il n'y a qu'un sénateur par famille. Une assemblée de prêtres désigne un chef : c'est le vergobret. Il a le pouvoir (suprême) pour un an.

À quoi ça se reconnaît, un chef ?

Quand on est archéologue, on reconnaît vite une tombe de chef, car elle est riche : les plus importants personnages sont enterrés avec leur char, leurs armes et très souvent avec tout un service de vaisselle précieuse (en bronze, en argent et même parfois en or) !
On enterre aussi les femmes de l'aristocratie avec leurs plus beaux bijoux, parfois fabriqués pour l'occasion.

La religion, c'est aussi une affaire de riches

Les druides et les prêtres viennent des familles riches. Trois catégories d'hommes religieux existent en Gaule : les bardes, dont les fonctions sont mal connues, les vates, qui s'occupent des cérémonies religieuses et pratiquent les sciences de la nature, et les druides, qui détiennent les connaissances et les transmettent.

Les druides, c'est pas la potion magique...

On sait qu'ils se réunissent une fois l'an dans un lieu sacré, sur le territoire des Carnutes, pour élire leur chef. Parce qu'ils sont considérés comme les plus justes des hommes, ils rendent aussi la justice. Les druides possèdent toutes les connaissances de l'époque dans tous les domaines ; c'est pourquoi leurs études peuvent durer vingt ans. Ils sont aussi les seuls à connaître les paroles sacrées, exprimées sous la forme de vers. Ils enseignent oralement aux enfants des familles riches.

Diviciacos, druide à Bibracte

C'est le seul druide (v. 100-v. 50 av. J.-C.) dont l'histoire ait conservé le nom. Il connaissait César, car il était diplomate. Cet Éduen, frère de Dumnorix, est allé à Rome pour y prononcer un discours devant le Sénat.

Druide présidant une assemblée gauloise.

D'où viennent-ils, ces riches ?

L'aristocrate était paysan au début de l'époque gauloise. Après avoir longtemps vécu dans de grandes fermes, il a ensuite exercé son pouvoir dans les *oppida*, restant toujours un très riche propriétaire terrien.

Gaulois des villes
et Gaulois des champs...

Au début de la période gauloise, tout le monde vit soit dans de petits villages, soit dans de grandes fermes isolées (César les appelle *ædificum*).
Vers le IIe siècle av. J.-C., on trouve les premiers *oppida*, ces villes où vont se regrouper les pouvoirs.

Reconstitution
d'une ferme gauloise
(domaine de Samara).

À la campagne

Les fermes sont rectangulaires, un peu ovales parfois, et elles peuvent avoir plusieurs bâtiments. Elles font vivre quelquefois plusieurs dizaines de personnes.
Leur construction varie peu : la charpente repose sur des poteaux de bois. Le toit est couvert de chaume. Le torchis des murs est appliqué sur un clayonnage.

Les animaux de la ferme

Les animaux élevés par les Gaulois étaient beaucoup plus petits que ceux de leurs voisins. Les croisements avec des animaux venus d'ailleurs vont peu à peu uniformiser les troupeaux.

Labourage...

Parmi les céréales, on cultive principalement le blé, l'orge et l'avoine. Les grains sont stockés dans des trous en pleine terre, les silos, ou dans des greniers sur pilotis. On conserve la farine dans une grande jarre, appelée *dolium*. Les Gaulois cultivent aussi des légumes et ils exploitent le lin et le chanvre pour fabriquer des vêtements.

... et pâturage

Les animaux d'élevage sont les mêmes qu'aujourd'hui : moutons, bovins, chèvres et porcs, principalement. Il y a peu de volailles et la chasse ne prend pas une grande place, même si elle compte beaucoup pour Obélix !

Une ville, ça sert à tout !

La population se regroupe peu à peu et, dès la fin du IIe siècle av. J.-C., dans des *oppida*. Les familles riches et aristocratiques viennent dans ces véritables villes exercer leur pouvoir : pouvoir politique et militaire (car l'*oppidum* est l'image de la puissance d'un peuple, d'une région), pouvoir religieux et, surtout, pouvoir économique. On y fabrique tous les objets que l'on va vendre pendant les foires, quand l'*oppidum* devient aussi un lieu de rencontre.

Du cochon...

Dans Astérix, nos deux héros se retrouvent souvent autour d'un sanglier rôti ! C'est pittoresque, mais pas si vrai que ça.
Les Gaulois mangent principalement du porc et du bœuf. Pourquoi chasser quand on a de la viande dans les fermes ?

Détail de l'*oppidum* de Bibracte (dessin).

Oppidum... oppida...

Chaque peuple gaulois a son *oppidum* principal : Gergovie pour les Arvernes, Bibracte pour les Éduens, Avaricum pour les Bituriges... Mais chaque territoire a d'autres *oppida* moins importants et souvent situés près des frontières, pour les surveiller.

Un *oppidum* bien connu

Bibracte, on la voit de loin.
Il faut dire que
c'est la capitale des Éduens,
peuple gaulois très riche.

Un *murus* quoi ?

Jules César nous parle des remparts des *oppida* : le *murus gallicus*.
Il est fait de poutres de bois, de terre et de pierres. La terre empêche
le feu, et le bois résiste à l'action des coups de bélier. Devant ce rempart
de 5 kilomètres de long, il y a un grand fossé. On accède à l'intérieur de la ville
par de grandes portes. On connaît mal leur architecture.

Des maisons romaines ?

Les archéologues ignorent
qui habitait ces grandes
maisons : aristocrates gaulois
ou marchands romains ? Les murs
sont en pierres, les toits en tuiles.
Le plan est celui des grandes
maisons romaines, avec bassins,
hypocauste... Il ne faut pas
oublier que les Éduens sont
les amis de Rome depuis
le IIe siècle av. J.-C.

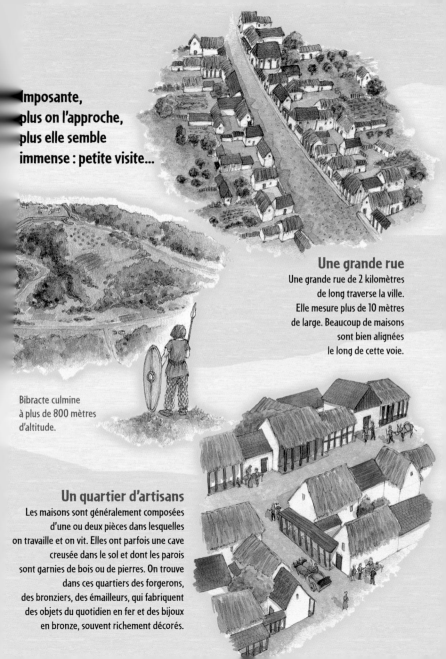

Imposante,
plus on l'approche,
plus elle semble
immense : petite visite...

Une grande rue

Une grande rue de 2 kilomètres
de long traverse la ville.
Elle mesure plus de 10 mètres
de large. Beaucoup de maisons
sont bien alignées
le long de cette voie.

Bibracte culmine
à plus de 800 mètres
d'altitude.

Un quartier d'artisans

Les maisons sont généralement composées
d'une ou deux pièces dans lesquelles
on travaille et on vit. Elles ont parfois une cave
creusée dans le sol et dont les parois
sont garnies de bois ou de pierres. On trouve
dans ces quartiers des forgerons,
des bronziers, des émailleurs, qui fabriquent
des objets du quotidien en fer et des bijoux
en bronze, souvent richement décorés.

Vendre et acheter

Avec le développement des *oppida*,
les échanges commerciaux progressent.

Dans les villes

Dès la naissance des *oppida*, les échanges s'organisent : de grandes foires ont lieu une ou deux
fois par an. Elles attirent les différents peuples
gaulois, mais aussi des commerçants étrangers :
les Romains.

Comme ailleurs...

Dans le Sahara,
en Afrique
du Nord,
d'immenses
espaces plats
entourés
d'un fossé,
même de petite
profondeur,
marquent
l'emplacement
des marchés,
où tout le
monde vient
vendre
ou acheter
à des dates
précises.
C'est peut-être
ainsi qu'il faut
imaginer
les foires
sur les *oppida*.

Du troc à la monnaie

L'échange, ou le troc, est la façon la plus ancienne
de commercer. Dès le IIIe siècle av. J.-C.,
les Arvernes commencent à imiter les pièces en
or de Philippe de Macédoine, venues de Grèce.
Peu à peu, cette monnaie s'étend dans toute
la Gaule. On passe des imitations de pièces
grecques à des monnaies vraiment gauloises.
Il y a des monnaies de différente valeur, en or
et en argent. Les alliages de moindre valeur,
à base de plomb, s'appellent
les potins.

Rien n'est perdu !

Le vin et l'huile sont deux
produits espagnols ou romains
importés en grande quantité dans les *oppida*.
Ces produits étaient transportés dans de grandes

Chargement d'amphores contenant du vin retouvé dans l'épave d'un bateau.

amphores en terre cuite, dont il fallait casser le col. Une fois utilisées, ces amphores avaient une seconde vie : elles servaient à rehausser le sol et à fabriquer des canalisations.

Poisson contre viande ?

Les Gaulois importaient aussi d'Italie du poisson, conservé dans de la saumure. Ils exportaient plusieurs de leurs spécialités : les salaisons de porc et la charcuterie et, parmi les céréales, le blé. On évoque aussi la vente d'esclaves par les Gaulois, ou même leur échange contre une amphore (pleine, bien sûr) !

Produits naturels...

Le sel est une autre spécialité gauloise : il vient des mines de Lorraine ou des côtes de l'Atlantique. La Lorraine a également fourni du minerai de fer ; cette exploitation a duré plus de deux mille ans.

La haute couture gauloise

« Au lieu de tuniques, on porte [en Gaule] *des robes fendues, garnies de manches* [...]. *La laine dont ces peuples tissent leurs épais sayons est rude et crépue, et, par le commerce, ils fournissent à l'Italie entière de ces vêtements.* » (Strabon)

Agriculture et bonne chère

Depuis le début, l'agriculture est le principal point fort des peuples gaulois. Elle a été pour beaucoup dans la richesse de plusieurs d'entre eux. Les Gaulois sont aussi réputés pour être de bons vivants.

Quels changements !

Les Gaulois sont les meilleurs… parce qu'ils sont à la pointe du progrès ! L'araire, c'est bien, mais ça ne retourne pas la terre : alors ils inventent le soc de charrue en fer. C'est mieux, c'est du vrai labourage ! Pour la moisson, même si les Gaulois savent se contenter de la faucille, ils sont allés plus loin et ont fabriqué une sorte de moissonneuse. Chapeau !

Tout ce qu'on peut faire !

Côté élevage, ce n'est pas mal non plus ! On mange la viande des animaux élevés ou on la conserve : on fait des salaisons et de la charcuterie. Il y a aussi le lait : de vache, de brebis et de chèvre. On le boit ou on le transforme en fromage ou en beurre.

Le laboureur, sculpture en bronze en forme d'araire, âge du Fer.

La bonne chère

Les festins gaulois sont réputés. Du pain aux petits plats mijotés dans de grands chaudrons en bronze, tout est préparé à la maison. Il y a de la viande et aussi des légumes : fèves, pois, lentilles, choux, glands, oignons… On mange du poisson conservé dans la saumure. Des spécialités, on dit qu'il y en a : le boudin au lait, les tripes à l'oignon, par exemple.

C'est à boire, à boire, à boire…

Leur réputation n'est plus à faire ! Les Gaulois boivent. Ils adorent le vin d'Italie, qu'ils importent en très grandes quantités. Ils fabriquent eux-mêmes une sorte de bière à base d'orge ou de blé : la cervoise. Les Gaulois consomment aussi de l'hydromel, boisson à base de miel et d'eau.

Classe en visite à Alésia.

Trop, c'est trop

Diodore de Sicile écrit encore que les Gaulois aiment le vin, jusqu'à l'excès. Mais le plus étonnant pour un Méditerranéen, qui mélange son vin avec de l'eau et des épices, c'est que les Gaulois le boivent pur, *« avec une passion furieuse et* [qu'ils] *se mettent hors d'eux-mêmes en s'enivrant jusqu'au sommeil ou à l'égarement ».*

À table !

On peut imaginer la soupe de lentilles d'après les restes trouvés lors de fouilles archéologiques : les lentilles étaient accompagnées de lard, peut-être bouilli, et de légumes (navets, choux…).

La vie de tous les jours

Une petite promenade sur un *oppidum* permet de comprendre l'activité quotidienne des habitants. Quand on traverse les différents lieux, les bruits sont différents, les odeurs aussi. Depuis le quartier des artisans jusqu'au sanctuaire, partout les gens sont occupés.

Des milliers de clous

Pour construire le *murus gallicus* d'un *oppidum*, les forgerons ont dû réaliser des dizaines de milliers de longs clous en fer pour fixer les poutres en bois.

Autour du quartier des artisans

Les bruits sont forts, réguliers, et ils sonnent de toutes parts. Ce sont les forgerons qui travaillent : ils battent le fer maintenu sur une enclume avec une pince. Leur travail est important. Toute la Gaule a besoin d'eux, du plus riche pour les armes au paysan pour les outils. À côté, les bronziers coulent leur alliage dans des moules. Ils peuvent ainsi fabriquer fibules et torques, qui seront parfois décorés à l'aide d'émail.

Activité des forgerons (reconstitution, domaine de Samara).

Au quotidien

Moins spectaculaire et moins bruyant aussi, le travail des femmes, qui fabriquent les étoffes sur leurs métiers à tisser. La laine est teinte avec des couleurs naturelles. On fait ainsi des motifs en damier, des zigzags…

Nécessaire, le travail du bois

On a besoin des bûcherons, des charpentiers. Il faut déboiser, car le bois sert à tout : pour les charpentes et les piliers des maisons, mais aussi pour les manches d'outils en tout genre. La fabrication des tonneaux est importante, car elle permet la redistribution du vin reçu dans les amphores. Et puis, en Gaule, il ne faut pas oublier le bois de chauffage, car les hivers sont rudes.

Vers la source…

L'eau est canalisée et plusieurs bassins se succèdent. Ils sont remplis d'objets différents, en bronze, en pierre ou en bois. En effet, on pense en Gaule que l'eau guérit. C'est pourquoi, lorsqu'un Gaulois, ou l'un des membres de sa famille, a un problème de santé, il achète une offrande et va la jeter dans le bassin pour obtenir la guérison. C'est pour cela que, dans l'eau, on trouve des représentations d'yeux, de mains, de pieds… : nous sommes dans un sanctuaire.

Torque en or datant de l'âge du Fer.

On est peu de chose

Certains métiers ont laissé peu de traces. Celui des tanneurs, par exemple. Eux aussi avaient un rôle important, car ils fabriquaient des vêtements, des chaussures…

Des chariots partout

Toutes les rues sont encombrées de chariots. Les transports sont importants pour tous : pour ceux qui travaillent le bois, car il faut bien acheminer les troncs d'arbres ; pour les potiers, qui ont besoin de bois pour leurs fours, ainsi que de terre. Ces chariots sont tirés par des attelages de bœufs. Attention aux embouteillages aux heures de pointe !

Aux armes !

La guerre était le privilège des riches, des nobles. Les remarquables forgerons gaulois ont fourni pendant cinq siècles des armes de grande qualité. Même Jules César reconnaissait la valeur exceptionnelle de l'armement gaulois.

Bien à l'abri !

La meilleure représentation de la cotte de mailles que portaient les guerriers gaulois est visible sur une statue découverte à Vachères, dans les Alpes-de-Haute-Provence : elle tombe à mi-cuisse et recouvre le haut des bras. On peut aussi voir une partie du bouclier, avec l'*umbo* central.

Statue dite du « guerrier de Vachères » (musée Calvet, Avignon).

Par Teutatès !

En invoquant leur dieu de la guerre, Teutatès (ou Toutatis), les Gaulois impressionnaient les armées ennemies par la puissance de leurs chants de guerre. Polybe raconte qu'en plus de chanter les Gaulois sonnaient du cor et de la trompette.

Il faut bien se défendre...

Les guerriers gaulois se protégeaient avec une cotte de mailles, un casque et un bouclier. Ces derniers sont en bois et sont parfois recouverts de cuir. Leur partie centrale est en bronze : c'est l'*umbo*, que l'on a souvent retrouvé dans les sanctuaires en trophée avec d'autres armes. Souvent, les casques sont décorés. Les plus riches sont même en or et incrustés d'émail.

... mais c'est mieux d'attaquer !

Les armes d'attaque étaient très performantes. Poignards et épées sont très souvent en fer, avec une poignée parfois en bronze. Ces armes redoutables se portaient à la ceinture, dans de grands fourreaux métalliques, quelquefois richement décorés. Les lances en fer semblaient réservées aux plus riches et étaient d'une grande précision de tir.

Même les chevaux sont parés pour la guerre !

Les plus riches guerriers combattaient sur des chars, dont on a retrouvé des traces grâce aux fouilles de plusieurs tombes.

Ce sont des chars à deux roues, construits principalement en bois. Seules quelques pièces sont en fer (l'axe de la roue, par exemple) ou en bronze (pour les décorations). Ils étaient tirés par des chevaux, dont on a retrouvé les mors et des éléments de harnachement en bronze.

Crânes d'ennemis

À Roquepertuse, dans le sud de la France, on a découvert un pilier en pierre dans lequel on a placé des crânes d'ennemis...

Forgerons artistes

Même pour la guerre, on pense à la décoration. Les fourreaux d'épée, en fer ou en bronze, portent des décors gravés. Ce sont des séries de courbes qui forment des motifs géométriques et, parfois même, des animaux très stylisés.

Vercingétorix

Depuis la fin du IIᵉ siècle av. J.-C., Romains et Gaulois entretenaient des relations amicales et commerciales. En ce temps-là, des marchands romains habitaient en Gaule.

Alésia : la statue de Vercingétorix vue d'avion.

Jules César
Jules César était un aristocrate romain, gouverneur de la Narbonnaise quand les Éduens demandèrent de l'aide à Rome. C'est lui qui partit à la conquête de la Gaule tout entière.

C'est la faute aux Éduens ?

Le plus grand peuple gaulois commerçant, les Éduens, était considéré comme frère et allié de Rome. Or, en 58 av. J.-C., les Helvètes, qui occupaient la Suisse actuelle, veulent aller s'installer plus à l'ouest et passer chez les Éduens. Ceux-ci demandent alors la protection des Romains.

La Gaule envahie

Rome ne peut ni ne veut refuser son aide à ses amis éduens. C'est une bonne excuse pour envahir la Gaule. De 58 à 56 av. J.-C., presque toute la Gaule – la Belgique, l'Aquitaine, l'Armorique – est conquise. Les armées romaines ont même débarqué en Angleterre, que Rome appelait Bretagne !

Vercingétorix entre en scène !

En 53 av. J.-C., tout le pays semble soumis… Toutefois, une exception demeure. Et ce n'est pas un petit village breton qui résiste (comme dans Astérix), mais le riche et puissant peuple arverne. Pour la première fois de leur histoire, les peuples gaulois se regroupent et forment, en 52 av. J.-C., une union autour de Vercingétorix, aristocrate arverne.

Victoires et défaites...

C'est alors une suite de batailles. Elles sont gagnées parfois par les Gaulois, comme à Gergovie, parfois par les Romains, qui prennent les *oppida* de Cenabum (Orléans) et d'Avaricum (Bourges). La dernière grande bataille se situe à Alésia, où Vercingétorix est contraint de se réfugier. César fait alors le siège de cet *oppidum* et construit de grandes fortifications autour de la ville. Après plusieurs semaines, Vercingétorix se rend : c'est la fin de l'indépendance gauloise.

Moralité de l'Histoire

Vercingétorix est ramené à Rome, puis exécuté. Pendant toute sa campagne, et même après, César a pris des notes pour écrire un livre : les *Commentaires de la guerre des Gaules*. Attention cependant, c'est un livre de propagande... César a tout intérêt à écrire que son adversaire était intelligent et courageux : il a ainsi plus de mérite d'avoir gagné !

Alésia et Alise-Sainte-Reine

Le rêve de Napoléon III était de trouver Alésia. Les fouilles qui ont eu lieu à Alise-Sainte-Reine (en Côte-d'Or) ont livré les vestiges du siège des Romains et une grande partie de leurs fortifications. Après beaucoup de discussions, la localisation de ce lieu ne fait plus aucun doute.

Le Siège d'Alésia, par Henri-Paul Motte. César fait construire des fortifications autour d'Alésia pour l'isoler.

Certitudes et mystères

Quelques dieux gaulois sont connus grâce à des textes romains et à des statues. Le grand mystère, c'est le culte, les lieux du culte et les sanctuaires.

Une déesse gauloise chez les Romains

Épona est une déesse toujours accompagnée d'une jument qu'elle monte, et parfois d'un poulain. C'est la seule divinité gauloise que l'on retrouve à Rome : dans les écuries, qu'elle protégeait en même temps que les cavaliers.

La déesse Épona.

Écolos, les Gaulois ?

Beaucoup de dieux gaulois ont un rapport direct avec la nature : animaux, forêt, etc. On trouve une série de sculptures en pierre ou en bronze qui représentent un homme assis en tailleur : c'est le dieu Cernunnos (*ci-contre*), qui porte une ramure de cerf sur la tête. Ésus est vêtu d'une tunique et tient une serpe à la main.

On plonge des gens dans des chaudrons !

D'autres représentations nous montrent des dieux moins pacifiques. On connaît Smertrios, qui brandit une massue pour tuer un serpent. Pour Teutatès (le Toutatis d'Astérix), le dieu de la guerre, on plonge des gens dans des chaudrons. On ne sait pas si ce sont des sacrifices ou s'ils sont ressortis très vite ; s'ils sont vivants ou déjà morts...

Lieux de culte et connaissances archéologiques

Les archéologues ont fouillé plusieurs sanctuaires gaulois. Le culte se pratiquait dans un espace sacré, délimité par un fossé devant une palissade. Le temple, très souvent en bois, se trouvait à l'intérieur de cet espace sacré : il est très simple au début de la période gauloise, puis de plus en plus sophistiqué.

Cultes et mystères

Dans l'enceinte du sanctuaire, autour du temple ou dans les fossés extérieurs, les Gaulois ont déposé des offrandes et exposé des trophées, pris peut-être à des ennemis vaincus. Des fosses creusées dans la terre contiennent des dépôts de monnaies, parfois en or, de vases, d'armes…

Dans les fossés de certains sanctuaires, les archéologues ont trouvé des morceaux d'animaux sacrifiés, des armes tordues volontairement ou brisées… et même des restes humains.

Des trophées humains !

L'entrée des sanctuaires était sans doute marquée par un portique en bois. On suppose que les montants étaient creusés d'alvéoles dans lesquelles des crânes humains étaient déposés. Crânes d'ennemis morts à la guerre ou sacrifiés ?

Dessin reconstituant un sanctuaire gaulois.

Ça veut dire quoi ?

En Côte-d'Or, à Vertault, on a trouvé près d'un *fanum* des dépôts d'un genre… bizarre. Dans de grandes fosses se trouvaient des chevaux, tous enterrés dans le même sens, avec un chien mâle dans le ventre…

Quiz

Maintenant que tu sais tout sur les Gaulois, ou au moins ce qu'il y a dans cet « Essentiel Milan Junior », tu vas tester tes connaissances. Attention, chaque fois une seule réponse est possible.

1 Cernunnos est :

A un dieu avec des cernes sous les yeux.
B un dieu qui porte une ramure de cerf.
C un druide éduen.

2 Un torque, c'est :

A un collier porté par les femmes ou les dieux.
B une pièce de harnachement de cheval.
C un échange commercial sans argent.

3 Le clayonnage, c'est :

A un rayonnage pour la cuisine.
B les rayons des chars des riches gaulois.
C le support du torchis pour les maisons modestes.

4 On trouve peu de textes gaulois, car :

A personne ne sait écrire.
B les Gaulois ne veulent pas écrire.
C les Romains ont brûlé tous les textes.

5 Un *oppidum*, c'est :

A une ville fortifiée.
B une sorte de blé gaulois.
C un bijou que l'on porte autour du cou.

6 Les greniers sont sur pilotis, car :

A les Gaulois avaient peur de l'eau.
B il faut empêcher les rongeurs de manger les provisions.
C les enfants ne doivent pas jouer dans les provisions.

7 L'*umbo*, c'est :

A la partie centrale d'un bouclier.
B un animal sauvage qui ressemble à un sanglier.
C la trompette que les guerriers utilisaient.

8 Les Gaulois mangent peu de sangliers, car :

A ils sont difficiles à chasser.
B ils sont rares dans les forêts.
C ils élèvent des animaux pour les manger.

9 Dans les sanctuaires :

A on découpait des ennemis pour les manger.
B on déposait des offrandes.
C des esclaves entretenaient un feu toute l'année.

10 Les foires gauloises se font :

A à chaque pleine lune.
B en pleine campagne, près des fermes.
C dans les *oppida*, une ou deux fois par an.

Les premières monnaies gauloises imitent :

les monnaies grecques.
les monnaies romaines.
les euros.

Épona est représentée :

A sur un sanglier.
B avec un serpent dans une main.
C assise sur un cheval.

12 Les amphores servent :

A à transporter le vin depuis l'Italie.
B à stocker la potion magique.
C à conserver les céréales.

13 Quels sont les habits des Gaulois ?

A La toge.
B Les braies.
C Ils vivent nus.

15 On reconnaît une tombe gauloise riche, car :

A elle contient beaucoup de gens.
B elle est couverte par une grande pierre tombale en marbre.
C elle contient des bijoux ou des armes.

16 Toutatis (Teutatès) est le dieu :

A du tout gratis.
B des gens tristes.
C de la guerre.

17 La palynologie est l'étude :

A du paludisme.
B des papillons.
C des pollens.

18 Vercingétorix était un chef :

A séquane.
B arverne.
C romain.

19 Le *murus gallicus* est :

A un mur dont les pierres s'effritent.
B un rempart gaulois.
C une mûre sauvage.

20 Un potin gaulois, c'est :

A une mauvaise réputation.
B un outil servant à la moisson.
C une monnaie à base de plomb.

21 Les premiers aristocrates gaulois sont :

A des propriétaires terriens.
B des grands princes vivant en ville.
C des commerçants.

22 Les druides enseignent :

A à toute la population.
B aux croyants.
C aux fils d'aristocrates.

23 Vercingétorix s'est rendu à César à :

A Gergovie.
B Alésia.
C Bibracte.

Pour t'aider dans ton exposé

Tu as envie de faire un exposé sur les Gaulois, ou bien ton professeur te l'a demandé. Avant de te lancer, pose-toi quelques questions.

Est-ce que mes copains ont déjà quelques idées sur les Gaulois ?

Le mieux, c'est de leur demander !
Par exemple, en leur proposant
d'écrire une phrase commençant par
« *Les Gaulois...* », ou de donner les noms
des Gaulois qu'ils connaissent...
Il y aura sûrement Astérix et Obélix !
Mais peut-être pas grand-chose
sur les « vrais » Gaulois.

Est-ce que je peux me servir d'Astérix ?

Oui, si tu montres qu'on y trouve
des choses « vraies » et d'autres
« fausses », pas toujours faciles
à découvrir. N'oublie pas tout ce qu'on
ne sait pas. Ce sont des aspects
qui pour le moment ne sont ni « vrais »
ni « faux ». Tu peux très bien prendre
une page d'Astérix et commenter
le texte et les images en les comparant
à la vérité historique. Tes copains
auront vraiment l'impression
de découvrir quelque chose.

Est-ce que je peux parler des Gallo-Romains ?

Il vaut mieux l'éviter et montrer sur une frise que les Gallo-Romains, c'est après 52 av. J.-C.,
et les Gaulois avant. Mais, avec un copain, vous pouvez décider de faire deux exposés
à la suite l'un de l'autre. Vous montrerez que la rupture entre les deux époques n'est pas
si nette que ça ! Les Gaulois connaissaient bien les Romains, et les Romains ont
« emprunté » aux Gaulois ce qu'ils ne connaissaient pas.

Est-ce que je peux utiliser des « images » qui ne datent pas des Gaulois ?

Oui... si tu expliques bien qu'au cours des siècles les idées sur les Gaulois ont changé. Pourtant, on a toujours cherché à reconnaître chez eux les défauts et les qualités des... Français, comme la coquetterie ou le courage. Mais, pour faire un exposé sur ce thème, tu auras besoin de l'aide de ton professeur, et il faudra toujours dater tes images ou tes textes.

Est-ce que je peux utiliser des idées originales ?

Oui si ton exposé est court et si tu peux être sûr de ce que tu dis ! Par exemple, tu peux parler des armes, ou bien donner un menu gaulois avec ses recettes, ou encore raconter une petite histoire en employant des mots gaulois (chêne, ruche, char, charrette...). Ce serait bien aussi de proposer la visite d'un musée ou d'un chantier de fouilles archéologiques.

Ce que tu dois toujours faire

Montrer sur une frise la durée de la période gauloise.
Donner tes « sources » : les auteurs que tu cites avec leurs dates, l'endroit où on a trouvé l'objet dont tu montres l'image.
Écrire au tableau les mots difficiles, français ou latins.
Garder quelques informations pour répondre aux questions de tes camarades... et essayer de prévoir ces questions !

Pour aller plus loin

Livres

On a beaucoup écrit sur les Gaulois, pour les grands et les moins grands.

Des livres pour tous les âges

Les Gaulois, Jean-Paul Demoule,
Hachette Éducation, 1995.
Très bien illustré et très clair pour faire un exposé, par exemple.
Bibracte, une ville gauloise,
Bibliothèque de travail, janvier 1998, n° 1094.
Pour tout savoir sur le site gaulois le mieux connu en France.
Images des dieux de la Gaule,
Simone Deyts, Errance, 1992.
Ce livre a l'avantage d'être très bien illustré. Le textes sont faciles et très documentés.

Des livres pour les plus grands

Chasse et élevage chez les Gaulois,
Patrice Méniel, Errance, 1987.
Guerre et armement chez les Gaulois,
Jean-Louis Brunaux
et Bernard Lambot, Errance, 1988.
Les Gaulois : sanctuaires et rites,
Jean-Louis Brunaux, Errance, 1986.

En te promenant...

L'Archéodrome

Si tu prends l'autoroute Paris-Lyon (c'est l'A6), il faut faire une halte à Beaune (Côte-d'Or) sur l'aire d'autoroute. C'est l'Archéodrome, avec une présentation des grands sites français de toutes les périodes et aussi des reconstitutions grandeur nature. Tu verras, entre autres, une ferme gauloise et tout ce qui l'entoure, les fortifications du siège d'Alésia.

Le mont Beuvray

C'est Bibracte ! Si tu aimes la nature, l'histoire et l'archéologie gauloise, il ne faut pas manquer d'aller visiter le mont Beuvray, en Bourgogne, près d'Autun. Il y a des vestiges à voir, des reconstitutions, un musée et un site naturel merveilleux. Si tu veux des renseignements, tu peux téléphoner au 03 85 86 52 35 ou consulter le site Internet : www.bibracte.tm.fr
Pour laisser un message, voici leur e-mail : com.bibracte@wanadoo.fr

Les musées

Il y a aussi les musées et, bien sûr, le premier d'entre eux : le musée des Antiquités nationales, à Saint-Germain-en-Laye, en banlieue parisienne.